Atchoum !

Texte : Dominique Jolin et Carole Tremblay

D'après le scénario original d'Anne-Marie Perrotta et Tean Schultz

Illustrations tirées de la série télé *Toupie et Binou*

– Atchoum !

Toupie éternue si fort que les cubes
de Binou s'écroulent.

– Désolé, Binou, dit Toupie. Je me sens
tout étourdi. Mon front est chaud et quand
je penche la tête, mon nez coule.

Binou entraîne Toupie vers le canapé.
– Qu'est-ce que tu fais, Binou ? Aaaaah… Tu veux
que je me repose ? C'est gentil, ça. Merci !

Toupie se mouche.
– Binou ? C'est bizarre, j'ai la gorge toute sèche
maintenant… Je ne sais pas quoi faire…
Il renifle.

Binou a une idée.
–Ah! De l'eau!!! s'écrie Toupie. Tu es adorable.
Merci! Merci mille fois!

Binou retourne jouer avec ses cubes quand Toupie le rappelle.
–Binooooou? Tu sais quoi? Je me sens encore tout étourdi et ma
bouche est tellement loin de mon verre…

Binou a justement une paille sur lui.
–Oh! Mais, c'est génial comme idée! dit Toupie.
Merci beaucoup!

– Aaa… Aaa… tchoooum !

Toupie éternue encore une fois. Les cubes
de Binou s'écroulent de nouveau.
– Binooou ? Tu es là ? demande Toupie. Excuse-moi…
je croyais que tout était parfait, mais… je ne me
sens pas vraiment à l'aise. Tu n'aurais pas une idée ?

Bien sûr que Binou a une idée !

Mais aucun des coussins ne convient à Toupie.
Ils sont soit trop durs, soit trop mous, ou trop gros.

Binou a une nouvelle idée. Il grimpe jusqu'au
sommet de la montagne et en rapporte un nuage !

Toupie est en-chan-té.
–Je crois que je commence à me sentir
un peu mieux ! dit-il.

Mais…
– Aaa… Aaaa… tchooum !

Les cubes de Binou s'effondrent une nouvelle fois.
– Je ne sais pas pourquoi, mais j'ai un peu froid maintenant, dit Toupie.

Pas de problème ! Binou sort chercher le soleil et l'installe
au-dessus du canapé.
– Le soleil ! s'exclame Toupie. C'est tellement bon ! C'est comme un rêve !!!

Après un moment d'hésitation, il ajoute :
– Tu sais, Binou, j'ai beaucoup de lumière dans les yeux…

Binou comprend. Il éteint le soleil, et clic!
la lune apparaît à sa place.
–Aaaaaah! Voilà!!! C'est parfait! Tu es
merveilleux, Binou! Je t'aime tant.

Binou ne répond pas.
–Binoooooooooou? Où es-tu?
demande Toupie.

Voilà Binou qui revient avec un drôle
de cube. Toupie est intrigué.
– Qu'est-ce que c'est ? demande-t-il.

Binou tire sur une corde, et pouf !
un piano apparaît.

Binou enfile ses gants. Toupie est tout excité.
– Tu vas jouer pour moi ? Pour que je me sente mieux ?
Oh ! Merci ! Merci ! Merci ! ! !

Binou commence à jouer.
– C'est merveilleux…, s'extasie Toupie.

Il s'étire et respire. Son nez est débouché !
– Tu sais quoi, Binou ? Je me sens beaucoup mieux. Je pense
même que je suis guéri ! Et c'est grâce à toi ! ! ! Maintenant, je peux
de nouveau sourire, et chanter, et danser, et parler, et…

–Aaaaa… Aaaaa… Atchoum!
Oh non! C'est Binou qui éternue, à présent!
–Oooooooooh! Binou! Tu es malade…
Attends, je vais m'occuper de toi! dit Toupie.

Il installe confortablement son ami sur le nuage.
–C'est à ton tour, maintenant, d'entendre
ta chanson préférée.

–Tu vas voir, je vais te guérir, moi!!!